DELICIOSAS
ENSALADAS

KÖNEMANN

Ensaladas y aderezos

Hoy en día los supermercados y verdulerías ofrecen una gran variedad de creativos ingredientes para ensaladas. Esta pequeña guía culinaria le ayudará a identificar y seleccionar lechugas y otras verduras y le mostrará cómo combinar los diferentes tipos de aceite y vinagre para preparar los más deliciosos aliños.

Lechugas y escarolas:

Compre sólo lechugas o escarolas de aspecto fresco y evite aquéllas cuyas hojas estén secas, amarillentas, marchitas o comidas por insectos y cuyos tallos sean gruesos y estropajosos. Las escarolas y lechugas como el iceberg deben ser consistentes al tacto y el corte del tallo debe estar seco. Es muy importante que sean frescas, porque empiezan a perder vitaminas justo después de haberlas cortado.

Conservación

El alto contenido en agua de las lechugas y escarolas las convierte en alimentos muy perecederos. Por lo tanto, conviene comprarlas justo antes de su consumo. En general, se considera que cuanto más blandas sean las hojas, antes deben comerse. Una lechuga iceberg o una romana bien guardada puede conservarse hasta siete días; en cambio, las lechugas de hojas blandas sólo duran de dos a tres días. Antes de guardarlas deben lavarse a fondo para quitar la arena y los insectos y posteriormente escurrirlas muy bien. Para ello use una centrifugadora de hojas de lechuga, un paño de algodón o papel de cocina. Debe proceder con cuidado para no dañar las hojas. Introdúzcalas con tiento en una bolsa de plástico, presione para sacar el aire, ciérrela bien y consérvela en el cajón de las verduras de la nevera. Puede envolver la lechuga entera sin lavar con un paño de cocina húmedo y guardarla en el mismo cajón.

Preparación

Arranque las hojas del tallo y trocéelas con las manos, no con un cuchillo. Úselo sólo en el caso de las hojas grandes, para cortar el nervio. Si sostiene la lechuga al revés bajo el agua del grifo, las hojas se separarán con más facilidad. Séquelas bien ya que si no se ablandarían y el agua diluiría el aliño.

Variedades:

Achicoria roja: tiene hojas compactas y coloradas de sabor muy amargo.
Berro: el sabor de estas pequeñas hojas es picante y fresco y el color verdoso brillante. Lave bien para retirar los caracoles.
Endibias: es la planta joven de la achicoria. De hojas blanquecinas con el borde amarillento y sabor amargo.
Ensalada mixta: contiene flores comestibles y hojas de diferentes tipos de lechugas y escarolas. Se vende por peso.
Escarola: presenta hojas verde claro, delgadas y alargadas que tienen un sabor levemente amargo.
Espinacas: de gran contenido en vitaminas y hierro y sabor muy intenso. Corte los nervios y lave bien para eliminar la tierra.
Flores comestibles: incluye pétalos de rosa, flores de la trinidad, violetas, flores de cebollino, geranios, capuchinas, caléndulas, madreselva y crisantemos. Sirven para para decorar y dar colorido a las ensaladas.
Lechuga de hojas de roble: hay variedades rojas y verdes de hojas sueltas y alargadas.
Lechuga francesa: tiene hojas de color verde, redondeadas, sueltas y blandas y un sabor algo mantecoso.
Lechuga iceberg: formada grandes hojas crujientes de sabor suave y aguado. Se conserva muy bien.
Lechuga maravilla: presenta hojas verdes y coralinas

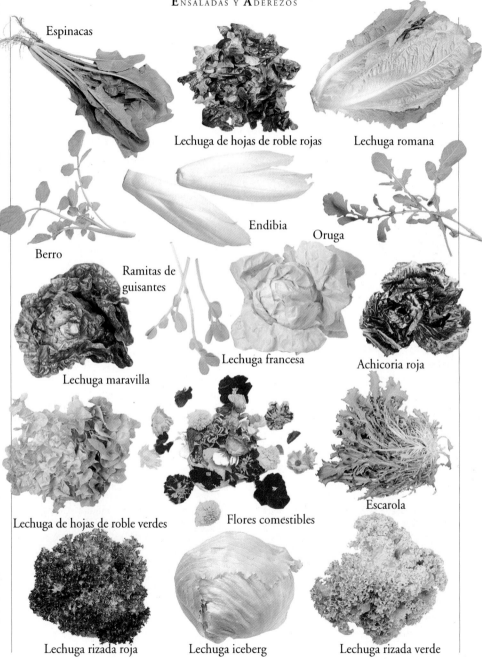

Espinacas

Lechuga de hojas de roble rojas

Lechuga romana

Endibia

Oruga

Berro

Ramitas de guisantes

Lechuga francesa

Achicoria roja

Lechuga maravilla

Lechuga de hojas de roble verdes

Flores comestibles

Escarola

Lechuga rizada roja

Lechuga iceberg

Lechuga rizada verde

de sabor ligero y dulce.

Lechuga oruga o ruqueta: tiene hojas pequeñas y verduscas con un ligero sabor a cacahuete; las más jóvenes son más suaves.

Lechuga rizada: existen variedades rojas y verdes. Las hojas ligeramente rizadas son crujientes y de sabor suave y dulce.

Lechuga romana: sus hojas largas y muy verdes presentan un sabor delicado y suculento y una textura muy crujiente. De alto contenido en vitaminas.

Ramitas de guisantes: de reciente incorporación en el mundo de las ensaladas, estas ramitas, de textura crujiente y sabor a hierba, resultan muy decorativas.

Aceites, vinagres y aderezos

La combinación de diferentes tipos de vinagres y aceites confiere a las ensaladas aroma y distinción. Un buen aliño realza el sabor de todos los ingredientes sin disfrazarlos. Si es posible, prepárelo siempre justo antes de usarlo para evitar que el aceite y el vinagre se separen (en tal caso, agite o remueva hasta que el aliño vuelva a tomar consistencia). Añádalo a la ensalada en el momento de servirla; así no se ablandarán las hojas. No ahogue la ensalada en el aliño; emplee lo justo para humedecer las hojas sin encharcar el fondo de la ensaladera.

Aceites

Aceite de cacahuetes: su delicado sabor a cacahuete hace que este aceite sea excelente para cocinar y aliñar ensaladas.

Aceite de chile: aceite vegetal aromatizado con chiles, ideal para ensaladas asiáticas a las que da un toque muy picante. Consérvelo en la nevera. Se encuentra en tiendas orientales.

Aceite de girasol: aceite suave, apto para cualquier uso, elaborado con pipas de girasol.

Aceite de nuez: de aroma y sabor afrutado y con un alto contenido en iodo. Debe guardarse en el frigorífico.

Aceite de oliva: presenta aromas de acidez muy diversa. El color varía de verdusco a amarillo claro pasando por el amarillo oscuro. Destaca el virgen extra, aceite de gusto absolutamente irreprochable, obtenido por el primer prensado en frío de aceitunas de calidad superior.

Aceite de sésamo: cuanto más oscuro sea el color ámbar de este aceite, tanto más intenso será su aroma. Úselo con precaución. Se halla en tiendas orientales.

Aceite vegetal: los aceites vegetales pueden estar compuestos de una mezcla de aceite de soja, abrojo, pipas de girasol, maíz o cacahuetes.

Vinagres

Vinagre de arroz: vinagre dulce y suave procedente de China y Japón, indicado para aliñar coles y zanaho-

1. Para elaborar mayonesa vierta las yemas de huevo, el vinagre y la pimienta en el recipiente de la batidora.

2. Sin dejar de batir, añada lentamente el aceite en un chorrito continuo.

rias. Se puede comprar en tiendas orientales.

Vinagre blanco: transparente, incoloro y suave. Es ideal para todos los usos.

Vinagre de frutas: vinagre de vino aromatizado con frutas blandas como las zarzamoras u otras bayas. Consérvelo en un lugar fresco protegido del sol.

Vinagre de hierbas: vinagre de vino aromatizado con hierbas frescas, con o sin ajo. Guárdelo en un lugar fresco protegido del sol.

Vinagre de malta: vinagre de color marrón oscuro y sabor muy intenso, elaborado con cerveza en vez de con vino.

Vinagre de Módena (*Aceto balsamico*): vinagre de origen italiano, muy aromático, pesado y levemente dulce que se elabora con vino tinto. Madura de 3 a 8 años en barrica. Se encuentra en supermercados y tiendas especializadas.

Vinagre de sidra: este tipo de vinagre de alta calidad se elabora con manzanas y

presenta un sabor suave y sabroso. Sirve para aliñar todo tipo de lechugas.

Vinagres de vino: elaborados con vino tinto o blanco. Para hacer mayonesa, use vinagre de vino blanco.

Aderezos
Vinagreta
Para ½ taza

¼ taza de aceite
2 cucharadas de vinagre de vino blanco
1 cucharadita de mostaza en grano
pimienta recién molida

1 Mezcle todos los ingredientes en un tarro de cristal con rosca y agítelo con fuerza. Úsela al momento.

Mayonesa
Para 1 ½ tazas

2 yemas de huevo
2 ó 3 cucharaditas de vinagre de vino blanco
1 taza de aceite de oliva
pimienta blanca al gusto
1 aguacate (opcional)

1 Ponga en una batidora las yemas, el vinagre y el condimento y bata durante 15 segundos o hasta obtener una masa homogénea.

2 Agregue el aceite poco a poco sin dejar de batir hasta lograr una salsa espesa y cremosa.

3 Si lo desea, añada a la mayonesa la pulpa triturada de un aguacate.

Diosa verde
Para ¾ taza

¼ taza de aceite de oliva
¼ taza de zumo de limón
2 cucharadas de crema agria
1 cucharadita de mostaza en grano
pimienta negra recién molida al gusto
1 diente de ajo majado
¼ taza de hierbas mixtas recién picadas

1 Mezcle todos los ingredientes en un tarro de cristal con rosca y agítelo con fuerza. Sirva la salsa con pescado o crudités.

3. La mayonesa ya terminada debe ser cremosa y espesa.

4. Como variante, puede añadir a la mayonesa un aguacate triturado.

Ensaladas predilectas

En este capítulo le presentamos las ensaladas que suelen comerse en los grandes restaurantes, como por ejemplo las ensaladas César, Waldorf o Niçoise, y que posiblemente nunca se haya atrevido a preparar en casa. Asimismo, también le ofrecemos las recetas para preparar diversos tipos de ensaladas de col, patatas o pasta.

Ensalada de marisco

Tiempo de preparación:
  20 minutos
Tiempo de cocción:
  2 minutos
Para 4 personas

200 g de rodajas de calamar
500 g de gambas cocidas
200 g de mejillones en lata
4 hojas grandes de lechuga
⅓ taza de salsa mil islas
1 cucharada de nata líquida
1 cucharadita de perejil
  fresco picado

1 Hierva dos dedos de agua en una sartén, añada las rodajas de calamar y deje hervir a fuego lento durante dos minutos dándoles la vuelta de vez en cuando. No cueza demasiado los calamares o quedarán duros. Retírelos de la sartén con una espumadera y déjelos enfriar aparte.
2 Pele las gambas y retire el intestino. Escurra los mejillones.
3 Disponga los calamares y el marisco sobre las hojas de lechuga. Mezcle la salsa con la nata líquida y viértala sobre el pescado. Esparza el perejil picado por encima y sirva al instante.

Ensalada jardinera

Tiempo de preparación:
  15 minutos
Tiempo de cocción:
  ninguno
Para 8 personas

200 g de distintas hojas de
  lechugas y escarola
120 g de col lombarda
1 zanahoria mediana
1 rama de apio grande
1 pimiento verde pequeño
¼ taza de vinagreta (pág. 5)

1 Lave y escurra a fondo las hojas de lechuga. Despedácelas en trozos pequeños.

Ensalada de marisco (arriba) y Ensalada jardinera.

2 Corte la col lombarda, el apio y el pimiento en juliana y ralle la zanahoria. Mézclelo todo en un cuenco grande, añada la salsa y remueva con cuidado. Sirva inmediatamente.

Ensalada Waldorf

Tiempo de preparación:
  15 minutos
Tiempo de cocción:
  ninguno
Para 6 personas

3 manzanas rojas medianas
2 manzanas verdes medianas
2 troncos de apio cortados en
  rodajas muy finas
¼ taza de nueces partidas
  por la mitad
¼ taza de mayonesa (pág. 5)
2 cucharadas de vinagreta
  (pág. 5)
1 cucharada de crema agria

1 Cuartee las manzanas y quíteles el corazón. Córtelas en trozos de 2 cm.
2 Colóquelas en una fuente junto con el apio y las nueces y remuévalo todo.
3 En una fuente aparte, mezcle la mayonesa, la vinagreta y la crema agria. Añada a la ensalada y remueva con cuidado. Aderece en una ensaladera decorada con hojas de lechuga. Sirva al instante.

Nota: La ensalada Waldorf puede prepararse 2 horas antes de su consumo y guardarse cubierta con film transparente en la nevera.

Ensalada de col

Tiempo de preparación:
  15 minutos
Tiempo de cocción:
  ninguno
Para 6 personas

¼ taza de col blanca
  pequeña cortada en juliana
2 zanahorias medianas
  ralladas
1 tronco de apio picado
1 cebolla grande picada fina
1 pimiento rojo pequeño
  picado fino

Aderezo
½ taza de mayonesa (pág. 5)
2 cucharadas de vinagre de
  vino blanco
1 cucharadita de mostaza
  francesa

1 Mezcle las hortalizas en un cuenco amplio y remueva todo bien.
2 Mezcle los ingredientes de la salsa en una fuente aparte, vierta el aderezo sobre la ensalada y remueva a fondo. Preséntela en una ensaladera.

Ensalada Waldorf (arriba) y Ensalada de col.

1. Para elaborar la ensalada César cuartee el ajo y colóquelo en una fuente pequeña con aceite.

2. Corte la corteza del pan, úntelo con aceite y córtelo en dados pequeños.

3. Retire la grasa y la corteza del bacon, córtelo en juliana y dórelo en una sartén.

4. Corte lonchas de parmesano con un pelapatatas o un cuchillo.

Ensalada César

Tiempo de preparación:
20 minutos
Tiempo de cocción:
15 minutos
Para 4-6 personas

1 diente de ajo
1 cucharada de aceite de oliva
3 rebanadas generosas de pan
2 lonchas de bacon
1 lechuga romana
3 cucharadas de aceite de oliva adicionales
1 cucharada de zumo de limón
1 cucharada de crema agria
½ cucharadita de salsa Worcestershire
4 anchoas picadas
100 g de parmesano cortado en lonchas muy finas

1 Precaliente el horno a 180°C. Cuartee el diente de ajo y colóquelo en una fuente pequeña con aceite. Déjelo reposar 10 minutos, removiendo de vez en cuando. Retire el ajo. Para hacer los costrones, corte la corteza del pan, úntelo con aceite y córtelo en daditos. Hornéelos unos 10 minutos hasta que se doren. Retírelos para que se enfríen.
2 Retire la grasa y la corteza del bacon y córtelo en juliana. Fríalo a fuego medio hasta que se dore.
3 Lave y escurra a fondo las hojas de lechuga. Reserve las más grandes para decorar la ensaladera. Despedace las hojas en trocitos y repártalos en la fuente.
4 Mezcle bien el aceite de oliva adicional, el zumo de limón, la crema agria y la salsa en un tarro de cristal con rosca. Vierta la salsa sobre la ensalada; añada el bacon, las anchoas, los costrones y el parmesano a la fuente y remueva con cuidado. Sírvala al momento.

Ensalada de arroz

Tiempo de preparación:
15 minutos
Tiempo de cocción:
10 minutos
Para 8 personas

1½ tazas de arroz largo
1 pimiento rojo pequeño
1 pepino pequeño
2 cebolletas
270 g de maíz dulce en conserva escurrido
⅓ taza de vinagreta (vea pág. 5)
1 cucharada de perejil fresco picado

1 Hierva el arroz en su punto, escúrralo, lávelo con agua fría y déjelo escurrir.
2 Corte el pimiento en dados de 1 cm. Pele el pepino, cuartéelo a lo largo, retire las pepitas y córtelo en finas rodajas, al igual que las cebolletas.

Ensalada César.

3 Mezcle el arroz y las verduras en una fuente grande. Añada la salsa y remueva con cuidado. Preséntela en una ensaladera y decórela con el perejil picado. Sírvala a temperatura ambiente.

Ensalada de legumbres

Tiempo de preparación:
10 minutos
Tiempo de cocción:
ninguno
Para 6 personas

150 g de judías verdes
310 g de habas en conserva
310 g de judías blancas en conserva
440 g de judías rojas arriñonadas en conserva
1 cebolla roja pequeña cortada en rodajas finas
2 cucharadas de perejil picado
2 cucharadas de vinagreta (vea pág. 5)

1 Recorte los rabitos de las judías verdes y córtelas en trozos de 4 cm. Hiérvalas durante 1 minuto, retírelas y viértalas en agua helada. Déjelas escurrir bien.
2 Vierta las legumbres en conserva en un colador, lávelas bajo el grifo y déjelas escurrir. Mézclelas con las cebollas y el perejil en una ensaladera y alíñelo todo con la vinagreta.

Nota: Para la elaboración de esta ensalada puede utilizarse cualquier tipo de legumbre. Combine aquéllas cuyo tamaño y color contrasten entre sí.

Ensalada griega

Tiempo de preparación:
15 minutos
Tiempo de cocción:
ninguno
Para 6 personas

3 tomates medianos
1 pimiento verde mediano
1 pepino mediano
3 cebolletas cortadas en trozos de 1 cm
250 g de queso feta cortado en dados de 2 cm
⅓ taza de olivas negras deshuesadas
2 cucharadas de zumo de limón
3 cucharadas de aceite de oliva

1 Corte los tomates en 8 trocitos y los pimientos en cuadrados de 2 cm. Corte el pepino por la mitad a lo largo, retire las pepitas y córtelo en rodajas de 1 cm de grosor.
2 Mezcle en una ensaladera los tomates, el pepino, los pimientos, las cebolletas, el queso y las olivas. Alíñela con el zumo de limón y el aceite y sírvala enseguida, a temperatura ambiente.

De izquierda a derecha: Ensalada de arroz (vea pág. 11), Ensalada de legumbres y Ensalada griega.

Ensalada Niçoise

Tiempo de preparación:
20 minutos
Tiempo de cocción:
ninguno
Para 4-6 personas

140 g de judías verdes
2 tomates medianos cortados
en 8 trozos
1 cebolla roja pequeña
cortada en rodajas
3 huevos duros cuarteados
⅔ taza de olivas negras
deshuesadas
425 de atún en conserva
escurrido
45 g de anchoas en conserva
escurridas
¼ taza de aceite de oliva
1 cucharada de vinagre de
vino blanco
1 diente de ajo machacado
½ cucharadita de mostaza
francesa

1 Recorte los rabitos de las judías verdes, hiérvalas durante 1 minuto, retírelas y viértalas en agua helada. Déjelas escurrir bien.
2 Disponga las judías, los tomates, las cebollas, los huevos, las olivas, el atún y las anchoas sobre una bandeja o ensaladera.
3 Mezcle el aceite de oliva, el vinagre, el ajo y la mostaza francesa en un tarro de cristal con rosca, ciérrelo y agítelo bien. Rocíe la ensalada con el aliño y sírvala inmediatamente con pan.

Ensalada de patatas

Tiempo de preparación:
20 minutos
Tiempo de cocción:
10 minutos
Para 8 personas

1 kg de patatas viejas
4 cebolletas picadas
1 cebolla mediana picada
1 tronco de apio picado
¼ taza de mayonesa
(vea pág. 5)
⅓ taza de yogur
3 huevos duros cuarteados
2 lonchas de bacon cortadas
en juliana y fritas
1 cucharadita de pimentón
dulce

1 Pele las patatas y córtelas en dados de 2 cm. Hiérvalas hasta que estén tiernas, sin que lleguen a cocer demasiado. Déjelas escurrir y enfriar completamente.
2 Mezcle las patatas, el apio y las cebolletas en un bol grande. Mezcle la mayonesa y el yogur y aliñe con esta salsa la ensalada. Dispóngala en una fuente adecuada y decórela con los huevos y el bacon. Espolvoree el pimentón por encima y sírvala a temperatura ambiente.

Ensalada de patatas (superior) y Ensalada Niçoise.

Ensalada de pollo al curry

Tiempo de preparación:
  20 minutos
Tiempo de cocción:
  15 minutos
Para 8 personas

200 g de pasta de tiburones
1 cucharada de aceite de oliva
500 g de pechugas de pollo
450 g de piña en almíbar escurrida
2 troncos de apio cortados en rodajas finas
3 cebolletas picadas
⅓ taza de mayonesa (vea pág. 5)
⅓ taza de crema agria
2 cucharaditas de polvo de curry

1 Hierva la pasta al dente, escúrrala, lávela con agua fría y déjela escurrir de nuevo. Viértala en una fuente y alíñela con aceite.
2 Hierva las pechugas de pollo en una cazuela con poca agua durante unos 5 minutos. Sáquelas, déjelas enfriar y córtelas en dados de 2 cm. Añada el pollo, la piña, el apio y las cebolletas a la pasta y revuélvalo todo bien.
3 Mezcle la mayonesa, la crema agria y el polvo de curry y aliñe con esta salsa la ensalada. Dispóngala en una ensaladera y sírvala a temperatura ambiente.

Tabbouleh

Tiempo de preparación:
  20 minutos
Tiempo de cocción:
  ninguno
Para 8 personas

¾ taza de bulgur o trigo triturado
¾ taza de agua caliente
2 manojos de perejil
4 cebolletas picadas muy finamente
4 tomates medianos picados
3 cucharadas de menta picada
¼ taza de zumo de limón
3 cucharadas de aceite de oliva

1 Mezcle el bulgur con el agua caliente en una fuente y déjelo reposar durante 15 minutos o hasta que haya absorbido el agua.
2 Deshoje el perejil, lave bien las hojas y déjelas secar. Pique el perejil vastamente con un cuchillo o una picadora; con cuidado para no picarlo demasiado.
3 Mezcle bien todos los ingredientes en una fuente grande. Guarde el tabbouleh en el frigorífico hasta poco antes de su consumo y sírvalo a temperatura ambiente.

Ensalada de pollo al curry (superior) y Tabbouleh.

Ensalada de pasta

Tiempo de preparación:
  20 minutos
Tiempo de cocción:
  10 minutos
Para 8 personas

350 g de pasta de conchas
1 cucharada de aceite de
  oliva
1 zanahoria mediana
1 pimiento verde pequeño
125 g de jamón dulce
270 g maíz dulce en
  conserva escurrido
2 cucharadas de crema agria
½ taza de vinagreta
  (vea pág. 5)

1 Hierva la pasta al dente,
escúrrala, pásela bajo el
chorro del agua fría y vuél-
vala a escurrir. Viértala en
una fuente y alíñela con
aceite.
2 Corte la zanahoria
primero por la mitad a lo
largo y luego en juliana.
Corte del mismo modo el
jamón y el pimiento. Aña-
da a la pasta las zanahorias,
el jamón, el pimiento y el
maíz y mézclelo todo.
3 Mezcle la crema agria y
la vinagreta en un tarro con
rosca, ciérrelo y agítelo con
fuerza. Disponga la ensalada en una ensaladera y
rocíela con la salsa. Sírvala
a temperatura ambiente.

Nota: Para ahorrar tiempo
hierva la pasta de antemano
y guárdela en la nevera hasta que la use. Esta ensalada
es una forma ideal de aprovechar las sobras de comida
como pollo o pavo frío,
pescados, salami, queso o
cualquier tipo de verduras.

Ensalada del chef

Tiempo de preparación:
  15 minutos
Tiempo de cocción:
  ninguno
Para 6 personas

6 hojas de lechuga
50 g de queso suizo cortado
  en juliana
4 lonchas finas de jamón
  dulce
¾ taza de carne de pollo
  picada
3 tomates de pera medianos
2 cucharadas de pimiento
  picado (opcional)
2 huevos duros cuarteados
½ taza de vinagreta
  (vea pág. 5)

1 Lave y escurra bien la
lechuga. Corte el queso y el
jamón en juliana y cada
tomate en 6 trozos.
2 Mezcle en un bol amplio
el queso, el jamón, el pollo,
los tomates, el pimiento y
los huevos. Disponga la
ensalada sobre las hojas de
lechuga. Rocíela con el
aliño y sírvala al instante.

Nota: Puede sustituir la
carne de pollo por pavo.

Ensalada de patatas (superior) y Ensalada del chef.

Ensaladas completas

Estas ensaladas son lo suficientemente consistentes para que puedan ser consideradas como un primer plato. Numerosas proteínas (en forma de pescado, carne o queso) en combinación con diferentes tipos de lechuga, verduras, pastas o arroz hacen de cualquier receta un plato sólido y nutritivo. Las ensaladas no sólo son ideales en los días de verano; en invierno se acompañan de pan recién hecho y un plato de sopa. O bien pueden servirse en menor cantidad como entrante en cualquier época del año.

Ensalada de langostinos

Tiempo de preparación:
  25 minutos
Tiempo de cocción:
  ninguno
Para 6 personas

500 g de langostinos cocidos
2 naranjas grandes
1 lechuga maravilla o romana
1 cebolla roja pequeña cortada en rodajas finas
2 cucharadas de vinagre de vino tinto
¼ taza de aceite de oliva
½ cucharadita de cáscara de naranja cortada en juliana
1 diente de ajo machacado

1 Pele los langostinos, dejando las colas intactas, y retire el hilo intestinal.

Corte los dos extremos de las naranjas y pélelas en espiral, procurando que no quede piel blanca. Guarde un poco de corteza para rallarla. A continuación, filetee las naranjas separando los gajos de las membranas.

2 Lave y escurra bien la lechuga. Disponga las hojas en platos o en una bandeja. Distribuya por encima los langostinos, los gajos de naranja y las aros de cebolla.

3 Mezcle el vinagre, el aceite de oliva, la ralladura de naranja y el ajo en un tarro de cristal con rosca, ciérrelo y agítelo bien. Vierta el aliño sobre la ensalada y sírvala al instante con pan.

Ensalada de salmón ahumado (superior izquierda), Ensalada de pollo a la tailandesa (recetas en la pág. 22) y Ensalada de langostinos.

Ensalada de pollo a la tailandesa

Tiempo de preparación:
  20 minutos + 2 horas
  en adobo
Tiempo de cocción:
  15 minutos
Para 4 personas

*4 pechugas de pollo cortadas
  en tiras de 1 cm
1 cucharadita de jengibre
  molido
1 diente de ajo machacado
2 cucharadas de salsa de soja
1 cucharada de aceite de
  cacahuete
3 cebolletas cortadas
  diagonalmente
2 zanahorias medianas
  cortadas en tiras de 4 cm
35 g de ramitas de guisantes
2 cucharadas de salsa de
  guindilla dulce tailandesa
1 cucharada de vinagre de
  arroz
2 cucharadas de aceite de
  cacahuetes, adicional*

1 Mezcle el pollo con el jengibre, el ajo y la salsa de soja. Tápelo con film transparente y guárdelo en la nevera durante 2 horas como mínimo o toda la noche, removiéndolo de vez en cuando.
2 Caliente el aceite en una sartén a fuego medio y fría en ella el pollo hasta que quede dorado; escúrralo sobre papel de cocina y póngalo a enfriar aparte.

3 Mezcle el pollo con las cebolletas, las zanahorias y las ramitas de guisantes en una ensaladera. Mezcle la salsa de guindilla, el vinagre y el aceite de cacahuete en un tarro de cristal con rosca, ciérrelo y agítelo bien. Aliñe la ensalada con la salsa y remuévala un poco. Sírvala de inmediato.

Nota: La salsa de guindilla dulce y el vinagre de arroz pueden adquirirse en tiendas de comida oriental y en algunos supermercados.

Ensalada de salmón ahumado

Tiempo de preparación:
  20 minutos
Tiempo de cocción:
  ninguno
Para 4 personas

*60 g de berros de fuente
200 g de salmón ahumado
1 aguacate mediano cortado
  a lo largo
1 cebolla pequeña cortada
  en rodajas finas
1 tronco de apio
⅓ taza de aceite de oliva
1 cucharada de zumo de
  limón
⅓ taza de requesón
2 cucharadas de nata líquida
1 cucharada de eneldo fresco
  picado*

1 Lave y escurra bien los berros de fuente. Trocéelos

en ramilletes grandes, dispóngalos en platos o en una bandeja y distribuya sobre ellos el salmón, los aguacates y las rodajas de cebolla. Corte el apio en trocitos de 5 cm y, a continuación, en tiras finas. Espárzalas sobre la ensalada.
2 Mezcle el aceite, el zumo de limón y el requesón en una batidora eléctrica hasta que la mezcla sea homogénea. Añada la nata y el eneldo. Aliñe la ensalada con la salsa y sírvala al instante con palitos de pan.

Ensalada de pollo.

Ensalada de pollo

Tiempo de preparación:
20 minutos
Tiempo de cocción:
ninguno
Para 4 personas

1 lechuga rizada o de hojas
 de roble rojas
1 pollo a la barbacoa
1 aguacate mediano cortado
 en tiras
2 troncos de apio cortado en
 rodajas de 1 cm

¼ taza de mayonesa de bote
¼ taza de suero de leche
2 cucharadas de vinagre de
 estragón
⅓ taza de pacanas o nueces
 picadas

1 Lave y escurra bien la
lechuga. Trocéela con las
manos y repártala en
4 platos o en una bandeja.
Trinche el pollo en trozos
iguales sin quitar la piel
donde sea posible.
2 Disponga la mitad del
pollo sobre la lechuga y,
encima, coloque la mitad

del aguacate. Repita esta
acción con el resto del
pollo y del aguacate.
Esparza el apio por encima.
3 Mezcle la mayonesa, el
suero de leche y el vinagre
en un tarro con rosca,
ciérrelo y agítelo bien.
Aliñe la ensalada con la
salsa y decórela con las
nueces. Sírvala de
inmediato con panecillos
integrales calientes.

Sabrosa ensalada de lentejas

Tiempo de preparación:
  20 minutos
Tiempo de cocción:
  20 minutos
Para 6 personas

1 taza de lentejas
1 cubito de caldo de carne
  desmenuzado
2 tomates medianos cortados
  en dados de 1 cm
2 cebolletas cortadas en
  rodajas
2 cucharadas de aceite
2 cucharaditas de vinagre de
  sidra
1 cucharada de menta fresca
  picada
½ cucharadita de comino
  picado
¼ cucharadita de pimienta
  de Cayena (o al gusto)

1 Vierta las lentejas en una olla con agua fría, añada el caldo de pollo y hierva a fuego lento durante unos 20 minutos o hasta que las lentejas estén hechas. No las cueza demasiado o se volverán pastosas. Escúrralas y déjelas enfriar.
2 Mezcle las lentejas enfriadas con los tomates y las cebolletas en una ensaladera. Mezcle el resto de los ingredientes en un tarro de cristal con rosca y agítelo con fuerza. Rocíe la ensalada con el aliño y remueva con cuidado. Sírvala al instante.

Antipasto

Tiempo de preparación:
  20 minutos + 30 minutos
  en adobo
Tiempo de cocción:
  ninguno
Para 6 personas

400 g de corazones de alcachofas en conserva
  escurridos
285 g de champiñones en
  conserva escurridos
¼ taza de salsa italiana
250 g de salami en lonchas
50 g de tomates secados al sol
  cortados en lonchas finas
1 taza de olivas negras
250 g de queso cheddar
  cortado en lonchas gruesas

1 Corte los corazones de alcachofas por la mitad y mézclelos en un cuenco con los champiñones y la salsa. Déjelo reposar durante 30 minutos removiendo de vez en cuando.
2 Escurra los corazones de alcachofas y los champiñones, pero guarde la salsa. Dispóngalos con el resto de los ingredientes sobre una bandeja y vierta por encima la salsa guardada. Sirva al instante con pan.

Nota: Sirva sobre hojas de lechuga romana o maravilla. El cheddar puede sustituirse por mozzarella. Añada a la salsa ½ diente de ajo y albahaca fresca, si lo desea.

Sabrosa ensalada de lentejas (superior) y Antipasto.

1. Para la ensalada de berenjenas con carne a la brasa, corte las berenjenas en tiras de 1 cm de grosor.

2. Mezcle las verduras, el aceite de oliva y el zumo de limón y déjelo en adobo.

3. Sobre una barbacoa engrasada, ase la carne durante unos 2 minutos por cada lado.

4. Ponga la carne aparte y, cuando esté fría, córtela en tiras finas. Sírvala a temperatura ambiente.

Ensalada de berenjenas con carne a la brasa

Tiempo de preparación:
  25 minutos + 30 minutos
  en adobo
Tiempo de cocción:
  20 minutos
Para 4 personas

2 berenjenas medianas
2 cucharadas de sal
3 calabacines medianos
2 pimientos rojos medianos
100 g de champiñones
  pequeños
2 cebollas medianas
¼ taza de aceite de oliva
1 cucharada de zumo de
  limón
750 g de cadera de ternera o
  entrecôte
40 g de ramitas de guisantes
¼ taza de albahaca cortada
  en juliana

1 Corte las berenjenas por la mitad a lo largo y luego en tiras alargadas de 1 cm de grosor. Disponga las tiras una junto a otra sobre una bandeja y alíñelas con sal. Déjelas reposar durante 15 minutos, lávelas y escúrralas bien.

2 Corte los calabacines y los pimientos en ruedas de 2 cm de grosor. Corte los champiñones por la mitad y las cebollas en rodajas. Mezcle todas las verduras con aceite y zumo de limón en un cuenco grande; cúbralo con film transparente y déjelo reposar en adobo durante 30 minutos a temperatura ambiente.

3 Limpie la carne de grasa y tendones y ásela sobre una barbacoa engrasada ligeramente (vea nota) durante unos 2 minutos por cada lado a fuego máximo para cerrar los poros. Para dejar la carne en su punto, póngala a asar 2 minutos más por cada lado en una parte de la barbacoa que no esté tan caliente. Retire la carne y cúbrala con papel de aluminio para que se enfríe; a continuación, córtela en tiras finas. Retire las verduras del adobo y áselas en dos tandas sobre la barbacoa durante 5 minutos o hasta que estén doradas.

4 Distribuya una montañita de ramitas de guisantes sobre cada plato y coloque encima la carne y las verduras. Decore con las tiras de albahaca y sirva de inmediato a temperatura ambiente.

Nota: Puede freír la carne y las verduras en una sartén. Tuéstelas por ambos lados.

Consejo
Sólo las berenjenas de piel oscura y brillante y que son compactas al tacto son frescas. Gracias a la sal las berenjenas pierden su sabor amargo.

Ensalada de berenjenas con carne a la brasa.

Ensalada de atún con mayonesa de ajo

Tiempo de preparación:
25 minutos
Tiempo de cocción:
10 minutos
Para 6 personas

6 patatas rojas pequeñas peladas
150 g de guisantes tiernos
1 manojo de espárragos
250 g de tomates "cherry"
2 x 425 g de atún en conserva escurrido

Mayonesa de ajo
3 yemas de huevo
1 diente de ajo machacado
½ cucharadita de mostaza francesa
2 cucharadas de zumo de limón
1 taza de aceite de oliva

1 Corte las patatas en dados de 2 cm, hiérvalas hasta que queden cocidas, escúrralas y póngalas a un lado. Hierva los guisantes tiernos durante 1 minuto, retírelos con una espumadera, introdúzcalos en agua helada, escúrralos y resérvelos. Corte el extremo más grueso de los espárragos y proceda como con los guisantes tiernos.
2 Para la preparación de la mayonesa de ajo: vierta las yemas de huevo, el ajo, la mostaza y el zumo de limón en un cuenco. Bata durante 1 minuto con la batidora eléctrica y añada

lentamente el aceite, siempre con la batidora en marcha, hasta que la mezcla sea espesa y cremosa. Cuanto más espesa sea la salsa de ajo, más rápido se puede añadir el aceite. Bata hasta agregar todo el aceite.
3 Disponga las patatas, los guisantes tiernos, los espárragos, los tomates y el atún en platos. Reparta la mayonesa de ajo sobre la ensalada o sírvala en una salsera aparte. Sírvala al instante.

Ensalada de cerdo agridulce

Tiempo de preparación:
25 minutos + 2 horas en adobo
Tiempo de cocción:
10 minutos
Para 4 personas

500 g de solomillo de cerdo
2 cucharadas de salsa de soja
1 cucharada de miel caliente
1 cucharada de jerez seco
1 cucharada de aceite de cacahuete
200 g de col china cortada en juliana
1 zanahoria mediana rallada
2 cebolletas cortadas en rodajas finas diagonalmente
440 g de rodajas de piña en almíbar escurridas (guarde 1 cucharada del almíbar)
1 cucharada adicional de aceite de cacahuete

2 cucharadas de vinagre de vino blanco
½ cucharadita de azúcar moreno

1 Limpie la carne de grasa y tendones. Colóquela en una fuente. Mezcle la salsa de soja, la miel y el jerez en un tarro de cristal con rosca y agítelo con fuerza.
2 Vierta la salsa sobre la carne para que ésta quede bien aliñada. Tápela con film transparente y déjela en adobo en la nevera al menos dos horas o toda la noche, removiéndola de vez en cuando.
3 Fría la carne en una sartén pesada durante unos 10 minutos a fuego medio. Remueva constantemente para que se dore por completo. Dispóngala sobre una bandeja y tápela con papel de aluminio. Déjela enfriar y trínchela después.
4 Mezcle en un cuenco la col china, la zanahoria, las cebolletas y la piña. Mezcle el aceite, el vinagre, el azúcar moreno y el almíbar de piña en un tarro de cristal con rosca y agítelo bien. Vierta la salsa sobre la ensalada y mezcle con cuidado. Reparta la ensalada en platos y cúbrala con las rodajas de carne. Sírvala al instante.

Nota: Nunca debe utilizarse aceite de oliva para aliñar ensaladas de tipo asiático.

Ensalada de atún con mayonesa de ajo (superior) y
Ensalada de cerdo agridulce.

Ensalada de roast beef

Tiempo de preparación:
   20 minutos
Tiempo de cocción:
   1 minuto
Para 4 personas

75 g de escarola
100 g de guisantes tiernos
   cortados en trozos de 3 cm
150 g de roast beef muy poco
   hecho cortado en lonchas
1 remolacha pequeña
   cortada en tiras finas
2 cucharadas de crema agria
2 cucharadas de aceite de
   oliva
2 cucharaditas de mostaza en
   grano

1 Lave y escurra bien la escarola. Hierva los guisantes tiernos durante 1 minuto, escúrralos y enfríelos en agua helada; escúrralos de nuevo.
2 Corte el roast beef en tiras. Distribuya la escarola en 4 platos y cúbrala con los guisantes, la remolacha y el roast beef.
3 Mezcle la crema agria, el aceite y la mostaza hasta conseguir una salsa homogénea. Repártala sobre los cuatro platos y sírvala al instante.

Nota: También puede rallarse la remolacha en vez de cortarla en tiras finas.

Tostadas con tomate y mozzarella

Tiempo de preparación:
   20 minutos
Tiempo de cocción:
   5 minutos
Para 4 personas

2 tomates medianos
250 g de mozzarella
1 cebolla roja pequeña
8 rebanadas de pan de barra
   o 4 de rebanadas de pan
   redondo
1 cucharada de aceite de oliva
1 cucharadita de aceto
   balsámico
2 cucharaditas de albahaca
   cortada en juliana

1 Corte los tomates, la mozzarella y las cebollas en rodajas finas del mismo tamaño.
2 Unte ambos lados del pan con aceite y tuéstelo en el grill hasta que quede dorado.
3 Disponga el tomate, las cebollas y la mozzarella sobre el pan de forma que lo cubran generosamente. Rocíelo con el vinagre y la albahaca y sirva al instante.

Nota: La mozzarella es un queso italiano suave, semi-cremoso, que se funde con facilidad. Tradicionalmente se elaboraba con leche de búfala; sin embargo, ahora se elabora con leche de vaca.

En el sentido de las agujas del reloj: Tostadas con tomate y mozzarella,
Ensalada de San Esteban (vea pág. 32) y Ensalada de roast beef.

Ensalada de San Esteban

Tiempo de preparación:
20 minutos
Tiempo de cocción: ninguno
Para 4 personas

1 lechuga francesa
200 g de jamón dulce en lonchas
½ melón mediano
2 cucharadas de aceite
1 cucharada de zumo de limón
½ cucharadita de mostaza francesa
1 cucharada de cebollino fresco picado

1 Lave y escurra bien la lechuga. Desmenúcela en trocitos y colóquela en una ensaladera. Corte el jamón en tiras de 2 cm. Con un moldeador de bolas forme bolitas con la carne del melón. Añada el jamón y las bolitas a la ensaladera.
2 Mezcle en un tarro de cristal con rosca el resto de los ingredientes y agítelo bien. Rocíe la ensalada con la salsa y remueva con cuidado. Sírvala al instante.

Nota: Para preparar esta ensalada puede emplearse la carne que ha sobrado del asado de Navidad.

Ensalada de pulpitos

Tiempo de preparación:
25 minutos + 1 hora en adobo
Tiempo de cocción:
10 minutos
Para 4-6 personas

800 g de pulpitos
⅓ taza de aceite de oliva
2 dientes de ajo machacados
1 pimiento rojo mediano picado fino
1 cucharada salsa tailandesa de guindillas dulce
2 cucharadas de cilantro fresco picado
2 cucharadas de zumo de lima

1 Para limpiar los pulpitos emplee un cuchillo pequeño y afilado con el que extraer las tripas, cortando la cabeza por completo o bien a lo largo para poder vaciarlos.
2 Haga presión con los índices para abrir los tentáculos como una flor y extraer del centro el pico. Lave bien los pulpitos bajo el agua del grifo. Mézclelos con el aceite y el ajo en una fuente. Cúbrala con film transparente y póngala en adobo 1 o 2 horas.
2 Fría los pulpitos (en varias tandas, si es preciso) en una sartén con aceite muy caliente y a fuego alto o sobre una plancha de 3 a 5 minutos. Una vez hechos déjelos escurrir sobre papel de cocina.
3 Mezcle el pimiento, la salsa de guindillas, el cilantro y el zumo de lima en una ensaladera, añada los pulpitos y remueva bien. Sirva este plato frío o caliente.

Ensalada de pulpitos.

1. Para la ensalada de pulpitos, corte la cabeza con un cuchillo pequeño y afilado.

2. Abra las patas en forma de flor, extraiga del centro el pico y deséchelo.

3. Fría los pulpitos una vez marinados sobre una plancha o en una sartén.

4. Añada a los pulpitos la mezcla de pimientos, salsa de guindillas, cilantro y zumo de lima.

Ensalada de tofu oriental

Tiempo de preparación:
  20 minutos + 1 hora
  en adobo
Tiempo de cocción: ninguno
Para 4 personas

2 cucharaditas de salsa
  tailandesa de guindillas
  dulce
½ cucharadita de jengibre
  molido
1 diente de ajo machacado
2 cucharaditas de salsa de
  soja
2 cucharadas de aceite
250 g de tofu fuerte
100 g de guisantes frescos
  cortados en trozos de 3 cm
  de largo
2 zanahorias pequeñas
  cortadas en juliana gruesa
100 g de col lombarda
  cortada en juliana
2 cucharadas de cacahuetes
  picados

1 Mezcle la salsa de guindillas, el jengibre, el ajo, la salsa de soja y el aceite en un tarro de cristal con rosca, ciérrelo y agítelo bien. Corte el tofu en dados de 2 cm. En una fuente mediana aliñe el tofu con la salsa; cúbralo con film transparente y déjelo en adobo en la nevera durante 1 hora.
2 Hierva los guisantes durante 1 minuto, escúrra-los, enfríelos en agua helada y escúrralos de nuevo.
3 Añada al tofu los guisantes, las zanahorias y la col y remueva con cuidado. Aderece en una ensaladera o sobre 4 platos, decore con los cacahuetes y sirva al momento.

Nota: El tofu es cuajada de soja fermentada y se puede adquirir en tiendas de especialidades orientales y en algunos supermercados.

Ensalada de garbanzos y olivas

Tiempo de preparación:
  20 minutos + una noche
  en remojo
Tiempo de cocción:
  25 minutos
Para 6 personas

1½ tazas de garbanzos secos
1 pepino mediano
2 tomates medianos
1 cebolla roja pequeña
¼ taza de perejil picado
½ taza de olivas negras
  deshuesadas
1 cucharada de zumo de
  limón
3 cucharadas de aceite de
  oliva
1 diente de ajo machacado
1 cucharadita de miel

1 Deje los garbanzos en remojo durante una noche y al día siguiente escúrralos.
Póngalos a hervir en agua fría durante 25 minutos o hasta que estén hechos. Escúrralos y déjelos enfriar.
2 Corte el pepino por la mitad a lo largo, elimine las pepitas y córtelo en rodajas de 1 cm. Corte los tomates en dados del mismo tamaño que los garbanzos y pique la cebolla. Mezcle en una ensaladera los garbanzos, los tomates, las cebollas, el perejil y las olivas.
3 Mezcle el zumo de limón, el aceite, el ajo y la miel en un tarro de cristal con rosca, ciérrelo y agítelo con fuerza. Rocíe la ensalada con la salsa y remueva con cuidado. Sírvala a temperatura ambiente.

Nota: Esta ensalada puede prepararse dos días antes. Debe guardarse tapada en la nevera. Antes de su consumo, déjela reposar un rato a temperatura ambiente. Los garbanzos secos pueden sustituirse por garbanzos en conserva; éstos no deben hervirse, sólo escurrirse y añadirse al resto de los ingredientes.

Ensalada de garbanzos y olivas (superior)
y Ensalada de tofu oriental.

Ensalada de cordero a la menta.

Ensalada de cordero a la menta

Tiempo de preparación:
  25 minutos
Tiempo de cocción:
  10 minutos
Para 4 personas

500 g de lomo de cordero
1 cucharada de aceite de
  oliva
1 lechuga rizada roja
60 g de tomates "cherry"
  amarillos
60 g de tomates "cherry"
  rojos
¼ taza de aceite de oliva,
  adicional

1 cucharada de vinagre de
  vino blanco
½ cucharadita de mostaza
  francesa
1 cucharada de menta fresca
  picada
½ cucharadita de azúcar
100 g de queso haloumi
  (vea nota)
1 cucharada de aceite de
  oliva, adicional

1 Limpie la carne de grasa
y tendones. Caliente el
aceite en una sartén pesada
y fría en ella la carne a
fuego medio-alto durante
7 u 8 minutos dándole la
vuelta con frecuencia. No
la fría demasiado: debe
quedar rosada por dentro.
Retire la carne y déjela

enfriar tapada sobre un
plato. Una vez fría, córtela
diagonalmente en rodajas.
2 Lave y escurra bien la
lechuga y desmenuce las
hojas en trocitos. Reparta
la lechuga en 4 platos y
disponga sobre ella los
tomates y el cordero.
Mezcle el aceite, el vinagre,
la mostaza, la menta y el
azúcar en un tarro de cristal
con tapón de rosca, ciérrelo
y agítelo bien.
3 Escurra el queso y córtelo
en trozos de 1 x 4 cm.
Séquelo con papel de
cocina. Caliente una sartén
a fuego medio con el aceite
de oliva adicional y fría en
ella el queso durante unos
2 minutos o hasta que esté

36

Ensalada de brie con peras.

dorado, dándole la vuelta de vez en cuando. Coloque el queso caliente sobre la ensalada. Agite la salsa, aliñe la ensalada con ella y sírvala al instante.

Nota: El haloumi es un queso blanco, compacto y salado procedente de Chipre. Resulta delicioso frito o hecho a la parrilla y no se funde ni ensucia la sartén. Es posible encontrarlo en algunos supermercados y tiendas especializadas en productos griegos o chipriotas. También puede usarse feta, aunque éste no debe freírse ni calentarse, sólo cortarse y ponerse sobre la ensalada.

Ensalada de brie con peras

Tiempo de preparación:
  15 minutos
Tiempo de cocción: ninguno
Para 4 personas

200 g de brie a temperatura ambiente
3 peras medianas
1 lechuga francesa o maravilla
3 cucharadas de aceite
1 cucharada de vinagre de estragón
⅓ taza de pacanas picadas

1 Corte el brie en cuñas no muy grandes. Cuartee las peras, retire los corazones y, sin pelarlas, corte los cuartos por la mitad a lo largo.
2 Lave y escurra bien la lechuga. Trocee las hojas con las manos y repártalas en 4 platos. Coloque encima el queso y las peras.
3 Mezcle el aceite y el vinagre en un tarro de cristal con rosca y agítelo bien. Rocíe la ensalada con la salsa y decórela con las pacanas. Sírvala al momento.

Nota: Puede sustituirse el brie por camembert. Asegúrese de que el queso está a temperatura ambiente en el momento de servirse. El camembert maduro ofrece el mejor aroma.

37

Ensalada picante de tomates con salchichas

Tiempo de preparación:
25 minutos + 1 hora de
refrigeración
Tiempo de cocción:
12 minutos
Para 4 personas

*3 tomates medianos cortados
en dados de 1 cm*
*1 cebolla roja mediana
picada muy fina*
*1 pimiento verde pequeño
cortado en dados de 1 cm*
*2 cucharadas de cilantro
fresco picado*
unas gotas de salsa tabasco
8 salchichas con ajo y hierbas

1 Mezcle en una fuente los
tomates, las cebollas, el
pimiento, el cilantro y el
tabasco. Guárdela 1 hora
en la nevera. Déjela reposar
a temperatura ambiente
antes de servir esta mezcla.
2 Pinche las salchichas con
un tenedor y fríalas sobre la
barbacoa o en una sartén a
fuego medio durante unos
12 minutos o hasta que
estén hechas, dándoles la
vuelta con frecuencia.
Déjelas enfriar y córtelas en
trozos de unos 2 cm.
3 Disponga las salchichas y
la mezcla de los tomates
sobre 4 platos. Sírvalas con
pan crujiente.

Ensalada de pavo con salsa de arándanos

Tiempo de preparación:
15 minutos
Tiempo de cocción: ninguno
Para 4 personas

125 g de berros de fuente
*500 g de embutido de pavo
cortado en lonchas finas*
2 naranjas pequeñas
*2 cucharadas de salsa de
arándanos*
1 cucharada de aceite
*1 cucharadita de vinagre de
vino blanco*
*2 cucharadas de pistachos
picados*

1 Lave y escurra bien los
berros de fuente. Trocéelos
en ramitas grandes, dese-
chando los tallos grandes.
Colóquelos sobre una
bandeja.
2 Coloque las lonchas de
pavo sobre los berros de
fuente. Pele las naranjas y
retire la piel blanca. Filetee
los gajos y aderécelos
alrededor del pavo. Mezcle
la salsa de arándanos, el
aceite y el vinagre y riegue
la ensalada con la mezcla.
Decórela con los pistachos
picados y sírvala al
momento.

Nota: Este receta permite
aprovechar las sobras de
pavo asado. El mejor aroma
lo ofrece la pechuga.

*Ensalada picante de tomates con salchichas (izquierda) y
Ensalada de pavo con salsa de arándanos.*

Ensalada de huevos y espinacas

Tiempo de preparación:
  20 minutos
Tiempo de cocción:
  8 minutos
Para 4 personas

2 rebanadas de pan integral
2 cucharaditas de aceite
8 hojas de espinacas grandes
  cortadas en juliana
150 g de lechuga cortada en
  juliana
3 cebolletas cortadas en
  rodajas finas
2 cucharadas de vinagreta
  (vea pág. 5)
100 g de champiñones
  laminados
3 huevos duros pelados y
  cuarteados

1 Precaliente el horno a
180°C. Para hacer los costrones corte la corteza del
pan y unte las rebanadas
con aceite. Córtelas por la
mitad y después en trozos
de un dedo de grosor. Hornéelos durante 8 minutos o
hasta que estén dorados.
Póngalos a enfriar aparte.
2 Mezcle las verduras y la
vinagreta en una ensaladera. Añada los huevos y los
costrones, remueva con cuidado y sirva al instante.

Nota: Esta receta puede
prepararse con cualquier
tipo de lechuga o escarola.

Ensalada de arroz aromático

Tiempo de preparación:
  25 minutos
Tiempo de cocción:
  10 minutos
Para 4 personas

1 taza de arroz aromático
  basmati o de grano largo
2 zanahorias medianas cortadas en rodajas diagonales
1 pimiento verde mediano
  cortado en juliana
200 g de mazorquitas de
  maíz en conserva cortadas
  en trozos de 2 cm
2 cebolletas cortadas en rodajas
150 g de carne de cerdo ado-
  bada a la china, frita y cortada en rodajas muy finas
2 cucharadas de aceite de
  cacahuete y 1 cucharada
  de aceite de sésamo
2 cucharaditas de zumo de lima
2 cucharaditas de salsa de soja

1 Hierva el arroz hasta que
esté en su punto, escúrralo,
páselo por el chorro de agua
fría y escúrralo de nuevo.
2 Vierta en un bol el arroz,
las verduras y la carne. Mezcle en un tarro con rosca el
resto de los ingredientes y
agítelo bien. Rocíe la ensalada con la salsa y remuévala
bien. Sírvala al momento.

Nota: La carne de cerdo
puede encontrarse en una
tienda de productos chinos.

*Ensalada de huevos y espinacas (izquierda)
y Ensalada de arroz aromático.*

Ensalada de pasta con tomates secados al sol

Tiempo de preparación:
20 minutos
Tiempo de cocción:
10 minutos
Para 6 personas

500 g de macarrones
1 cucharada de aceite de oliva
150 g de tomates secados al sol escurridos
½ taza de hojas de albahaca fresca
½ taza de olivas negras sin hueso cortadas por la mitad
2 cucharadas de aceite de oliva, adicional
2 cucharaditas de vinagre vino blanco
1 diente de ajo cortado por la mitad
60 g de parmesano cortado en lonchas muy finas

1 Hierva la pasta al dente, escúrrala, lávela bajo el grifo con agua fría y escúrrala de nuevo. Póngala en una ensaladera y añádale aceite para evitar que se pegue.
2 Corte los tomates secos en rodajas finas. Desmenuce la albahaca en trocitos y añádalo todo a los macarrones junto con las olivas.
3 Mezcle el aceite adicional, el vinagre y el ajo en un tarro con rosca y agítelo bien. Déjelo reposar 5 minutos, retire el ajo, agítelo de nuevo y rocíe la salsa sobre la ensalada. Remuévala bien, decórela con el parmesano y sírvala al instante.

Nota: Los tomates secados al sol en aceite pueden adquirirse en tiendas de productos de alta gastronomía.

Ensalada de nachos

Tiempo de preparación:
20 minutos
Tiempo de cocción: ninguno
Para 4 personas

440 g de judías rojas arriñonadas en conserva
1 tomate grande cortado en dados de 1 cm
½ taza de salsa mexicana suave
280 g de nachos
8 hojas de lechuga cortada en juliana
1 aguacate pequeño cortado en rodajas finas
20 g de queso cheddar rallado

1 Vierta las judías en un colador, lávelas bajo el grifo con agua fría, escúrralas y mézclelas con los tomates y la salsa.
2 Disponga los nachos sobre 4 platos y disponga encima la lechuga, la mezcla de judías y el aguacate. Decore la ensalada con el queso y sírvala al instante.

Nota: La salsa mexicana (una salsa de tomates y cebollas suave o picante) puede adquirirse embotellada en supermercados.

Ensalada de requesón

Tiempo de preparación:
20 minutos
Tiempo de cocción:
5 minutos
Para 4 personas

1 rebanada de pan lavash
2 cucharaditas de aceite vegetal
pimentón dulce para condimentar
16 hojas de roble rojas
2 cucharadas de cebollino picado
500 g de requesón
200 g de uvas negras
1 zanahoria mediana rallada
¼ taza de brotes de alfalfa

1 Precaliente el horno a 180°C. Unte el pan lavash con aceite y sazónelo ligeramente con pimentón dulce. Córtelo por la mitad a lo largo y luego en 16 tiras. Hornéelo 5 minutos o hasta que quede dorado. Déjelo enfriar sobre una rejilla.
2 Lave y escurra bien la lechuga. Mezcle el cebollino y el requesón. Disponga los ingredientes restantes sobre 4 platos y sirva éstos al instante, acompañados de cuatro tiras de pan lavash.

Nota: El pan lavash es oblongo y fino. Se encuentra en tiendas de productos de alta gastronomía.

Ensalada de pasta con tomates secados al sol (superior), Ensalada de nachos y Ensalada de requesón.

Ensalada de vieiras con lima y jengibre

Tiempo de preparación:
  20 minutos
Tiempo de cocción:
  2 minutos
Para 4 personas

400 g de vieiras
1 cucharada de aceite de
  cacahuete
¼ taza de aceite de
  cacahuete, adicional
1 cucharada de zumo de
  lima
1 cucharadita de jengibre
  molido
½ cucharadita de miel
1 cucharada de cilantro
  fresco picado
3 calabacines medianos
  cortados en juliana gruesa
2 zanahorias medianas
  cortadas en juliana gruesa
2 cebolletas cortadas diagonalmente en rodajas de 1 cm

1 Retire la barba de las
vieiras. Séquelas con papel
de cocina y fríalas en aceite
previamente calentado en
una sartén pesada a fuego
alto durante unos 2 minu-
tos o hasta que estén doradas. Retírelas de la sartén y
manténgalas calientes.
2 Mezcle el aceite de cacahuete adicional, el zumo de
lima, el jengibre, la miel y
el cilantro en una tarro de
cristal con rosca, ciérrelo y
agítelo con fuerza.

3 Coloque las verduras en
platos o en una bandeja,
disponga encima las vieiras,
rocíelas con la salsa y sírvalas al instante.

Ensalada de primavera con pasta

Tiempo de preparación:
  25 minutos
Tiempo de cocción:
  11 minutos
Para 6 personas

500 g de pasta de espirales
  tricolores
1 cucharada de aceite de
  oliva
200 g de brécol, cortado en
  rositas
160 g de calabaza pequeña
2 zanahorias pequeñas
  cortadas diagonalmente
  en rodajas
250 g de tomates "cherry"
  cortados por la mitad
2 cucharadas de zumo de
  limón
¼ taza de aceite
2 cucharadas de perejil fresco
  picado

1 Hierva la pasta al dente,
escúrrala, lávela bajo el
grifo y escúrrala de nuevo.
Mezcle en una fuente la
pasta y el aceite.
2 Hierva el brécol y la
calabaza durante 1 minuto,
escúrralos, enfríelos en agua
helada y escúrralos de nuevo. Añádalos a la pasta con

las zanahorias y los tomates.
3 Mezcle el zumo de limón
y el aceite en un tarro de
cristal con rosca y agítelo
con fuerza. Rocíe la ensalada con la salsa, añada el perejil y remueva bien. Sírvala
a temperatura ambiente.

Ensalada caliente de pasta y cangrejos

Tiempo de preparación:
  20 minutos
Tiempo de cocción:
  10 minutos
Para 6 personas

200 g de espaguetis
2 cucharadas de aceite de
  oliva
30 g de mantequilla
600 g de carne de cangrejo
1 pimiento rojo grande
  cortado en juliana
2 cucharaditas de ralladura
  de limón
¼ taza de parmesano rallado
2 cucharadas de cebollino
  picado
¼ taza de perejil fresco picado
pimienta negra recién molida

1 Parta los espaguetis por
la mitad, hiérvalos al dente
y escúrralos.
2 Mezcle los espaguetis en
una ensaladera con el aceite, la mantequilla y el resto
de los ingredientes. Remueva la ensalada, espolvoréela
con un poco de pimienta
negra y sírvala caliente.

Nota: También puede
utilizar palitos de cangrejo.

Ensalada de vieiras con lima y jengibre (superior), Ensalada de primavera
con pasta y Ensalada caliente de pasta y cangrejos.

Ensaladas de complemento

Las ensaladas de complemento resultan un buen acompañamiento o contraste para los platos principales de una comida. Otorgan una textura crujiente a los platos blandos o líquidos, un toque de sabor a las comidas cremosas y suaves o bien una sensación refrescante con manjares picantes. Pueden servirse para aportar vitaminas y minerales a las comidas o simplemente para ofrecer un variado contraste de crujiente colorido. Este capítulo recoge una selección de exquisitas ensaladas de complemento indicadas para cualquier ocasión.

Ensalada verde mixta

Tiempo de preparación:
15 minutos
Tiempo de cocción: ninguno
Para 6-8 personas

3 hojas grandes de lechuga
   romana
4 hojas grandes de lechuga
   francesa
10 hojas de roble rojas
60 g de ramitas de guisantes
1 pepino mediano
1 canastilla de tomates
   "cherry"
2 cucharadas de zumo de
   limón
¼ taza de aceite de oliva
1 diente de ajo machacado
1 cucharadita de azúcar
   moreno

1 cucharada de cilantro
   fresco picado

1 Lave y escurra a fondo las hojas de lechuga y trocéelas con las manos. Limpie las ramitas de guisantes.
2 Corte el pepino diagonalmente en rodajas y parta los tomates por la mitad. Ponga todas las verduras en una ensaladera grande.
3 Mezcle el zumo de limón, el aceite, el ajo, el azúcar moreno y el cilantro en un tarro de cristal con rosca, ciérrelo y agítelo con fuerza. Rocíe con la salsa la ensalada, remuévala bien y sírvala al momento.

Nota: Adórnela, si lo desea, con 2 cucharadas de piñones tostados.

Ensalada verde mixta (superior) y
Ensalada de patatas caliente (pág. 48).

Ensalada de patatas caliente

Tiempo de preparación:
15 minutos
Tiempo de cocción:
15 minutos
Para 6 personas

750 g de patatas nuevas
  pequeñas
3 lonchas de bacon
1 cucharada de aceite
2 cucharadas de vinagre de
  sidra
2 cucharadas de cebollino
  fresco picado

1 Hierva las patatas hasta
que estén hechas. No las
deje cocer en exceso ya
que en tal caso la piel se
desprenderá y la ensalada
resultará demasiado blanda.
Escúrralas bien y póngalas
en un cuenco amplio.
2 Retire la grasa y la corteza del bacon. Córtelo en
juliana y fríalo en una
sartén con el aceite hasta
que esté dorado y crujiente.
Sáquelo con una espuma-
dera y déjelo escurrir sobre
papel de cocina.
3 Deje enfriar la sartén,
añada el vinagre y
remuévalo en la sartén
para que se mezcle con el
aceite y el jugo del bacon.
Rocíe las patatas con la
salsa, añada el cebollino
y el bacon y mézclelo
todo con cuidado para no
romper las patatas. Aderece
todo en una ensaladera y
sirva al instante.

Nota: Decore con ramitas
de eneldo frescas o con ½
cucharadita de semillas de
eneldo o apio, si lo desea.

Ensalada de pimientos

Tiempo de preparación:
10 minutos + 1 hora
en la nevera
Tiempo de cocción: ninguno
Para 6 personas

1 pimiento rojo mediano
1 pimiento verde mediano
1 pimiento amarillo
  mediano
¼ taza olivas negras
  deshuesadas
2 cucharadas de alcaparras
1 cucharada de aceto
  balsámico
3 cucharadas de aceite de
  oliva

1 Corte todos los pimientos en tiras de 1 cm y las
olivas por la mitad a lo
largo.
2 Mezcle los pimientos, las
olivas, las alcaparras, el
vinagre y el aceite de oliva
en un cuenco. Cúbralo
todo con film transparente
y déjelo reposar 1 hora,
removiendo de vez en
cuando. Sirva la ensalada
a temperatura ambiente.

Nota: Si lo desea puede
cortar los pimientos por la
mitad, asarlos y pelarlos antes de ponerlos en el aliño.

Ensalada de champiñones

Tiempo de preparación:
15 minutos
Tiempo de cocción:
6 minutos
Para 6 personas

2 cucharadas de aceite de
  oliva
2 cucharadas de vino blanco
500 g de champiñones
  pequeños
2 cucharadas de aceite de
  oliva, adicional
2 cucharaditas de vinagre de
  vino blanco
2 cucharaditas de miel
2 cucharaditas de mostaza en
  grano

1 Caliente el aceite y el
vino en una sartén pesada
y añada los champiñones.
Cuézalos a fuego medio
durante unos 6 minutos
o hasta que estén bien
hechos. Póngalos en una
ensaladera y déjelos enfriar.
2 Mezcle el aceite adicional, el vinagre, la miel y la
mostaza en un tarro de cristal con rosca y agítelo bien.
3 Escurra los champiñones
y vierta el jugo en la salsa.
Riegue con ella los champiñones y remuévalos. Sírva-
los a temperatura ambiente.

Nota: Los champiñones
no deben lavarse ni pelarse.
Para limpiarlos proceda
con un trapo húmedo.

Ensalada de pimientos (superior) y Ensalada de champiñones.

1. Para la ensalada de tomates a la parrilla, corte el tallo de los tomates con un cuchillo afilado.

2. Déles la vuelta sobre la bandeja preparada y corte una cruz en la superficie sin dañar la carne.

3. Riéguelos con un poco de aceite y cuézalos en el horno durante 20 minutos, hasta que la piel se encoja.

4. Corte las hojas de albahaca en juliana y decore con ella los tomates.

Ensalada de tomates a la parrilla

Tiempo de preparación:
15 minutos
Tiempo de cocción:
20 minutos
Para 6 personas

6 tomates maduros medianos
1 cucharada de aceite de
  oliva
2 cucharadas de vinagre de
  vino blanco
¼ taza de aceite de oliva,
  adicional
½ cucharadita de mostaza
  francesa
12 hojas de albahaca fresca
  cortadas en juliana

1 Precaliente el horno a 180°C. Unte una bandeja de horno con aceite. Con un cuchillo muy afilado corte el tallo de los tomates. Colóquelos con el corte sobre la bandeja y practique una cruz en la superficie sin dañar la carne. Riéguelos con un poco de aceite y cuézalos unos 20 minutos. Déjelos enfriar a temperatura ambiente.
2 Mezcle el vinagre, el aceite adicional y la mostaza en un tarro de cristal con rosca, ciérrelo y agítelo con fuerza. Pele los tomates y colóquelos con cuidado sobre una bandeja. Vierta un poco de salsa sobre cada tomate y decórelos con las hojas de albahaca.

Ensalada árabe

Tiempo de preparación:
15 minutos
Tiempo de cocción:
10 minutos
Para 6 personas

1 taza de cuscús
1 taza de agua
20 g de mantequilla blanda
80 g albaricoques secos picados
60 g de dátiles picados
1 cucharadita de menta
  picada
2 cucharadas de perejil
  picado
2 cucharadas de aceite de
  oliva
2 cucharadas de zumo de
  naranja

1 Vierta el cuscús en un cazo mediano con el agua, tápelo y póngalo a hervir. Retírelo y déjelo reposar 10 minutos (o siga las instrucciones del paquete). Páselo a una ensaladera y entremezcle la mantequilla con un tenedor. Déjelo enfriar removiendo los granos de vez en cuando.
2 Añada el resto de los ingredientes y mézclelo todo con cuidado. Sírvalo a temperatura ambiente.

Nota: El cúscus es un tipo de sémola de trigo de los países árabes y se vende empaquetado en supermercados y tiendas de productos de alta gastronomía.

Ensalada de tomates a la parrilla (superior) y Ensalada árabe.

Ensalada de arroz salvaje e integral

Tiempo de preparación:
10 minutos
Tiempo de cocción:
40 minutos
Para 6 personas

½ taza de arroz salvaje
1 taza de arroz integral
¼ taza de almendras picadas
1 cucharada de perejil fresco picado
1 cucharada de cebollino fresco picado
1 cucharada de albahaca fresca picada
3 cucharadas de aceite vegetal ligero
2 cucharaditas de vinagre de vino blanco

1 Hierva el arroz salvaje y el integral en cazuelas distintas hasta que esté hecho, escúrralo, lávelo bajo el grifo y escúrralo de nuevo. El arroz debe estar seco antes de añadirlo a la ensalada.
2 Precaliente el horno a 180°C. Reparta las almendras en una placa de horno forrada con papel de aluminio y áselas unos 3 minutos o hasta que estén doradas.
3 Mezcle el arroz salvaje y el integral, las hierbas, el aceite y el vinagre en una ensaladera. Decore con las almendras justo antes de servir.

Nota: Hierva el arroz de antemano y no mezcle los ingredientes hasta el instante previo a su consumo.

Ensalada de berros de fuente y cítricos

Tiempo de preparación:
20 minutos
Tiempo de cocción:
ninguno
Para 6 personas

200 g de berros de fuente
1 naranja grande
1 pomelo mediano
3 cucharadas de aceite de oliva
1 cucharada de vinagre de frambuesas (vea consejo)

1 Lave y escurra bien los berros de fuente (vea nota). Trocéelos en ramitas grandes y retire los tallos gruesos. Colóquelos en una ensaladera.
2 Corte los dos extremos de las naranjas y pélelas de forma que no quede piel blanca. Reserve unos 4 cm de cáscara. A continuación, filetee las naranjas separando los gajos de las membranas. Proceda del mismo modo con el pomelo y reparta los trozos de fruta por encima de los berros de fuente.
3 Con un cuchillo afilado retire la piel blanca de la cáscara y corte ésta última en juliana.
4 Rocíe la ensalada primero con el aceite de oliva y posteriormente con el vinagre. Mezcle la fruta con cuidado y decórela con la cáscara de naranja.

Nota: Lave bien los berros de fuente porque pueden tener caracoles. Si no encuentra berros de fuente puede sustituirlos por ensalada variada o ruqueta.

Consejo
Puede elaborar su propio vinagre de frambuesas mezclando ⅔ taza de frambuesas frescas machacadas con 2 tazas de vinagre de vino blanco. Guarde la mezcla durante 3 días en una botella de cristal con tapón de plástico o un corcho (no use metal) en un lugar oscuro y fresco, agitándola de vez en cuando. Filtre el vinagre en otra botella de cristal y guárdelo en un lugar fresco y oscuro.

Ensalada de arroz salvaje (superior) y
Ensalada de berros de fuente y cítricos.

Ensalada de brécol y coliflor

Tiempo de preparación:
15 minutos
Tiempo de cocción:
5 minutos
Para 6 personas

250 g de brécol
250 g de coliflor
⅓ taza de almendras
  laminadas
¼ taza de salsa italiana
1 cucharada de zumo de
  limón

1 Hierva la coliflor y el brécol cortados en ramilletes durante 1 minuto, escúrralos, enfríelos en agua helada y escúrralos de nuevo.
2 Precaliente el horno a 180°C. Reparta las almendras en una placa de horno cubierta con papel de aluminio y dórelas durante 5 minutos. Retírelas de la bandeja·para que se enfríen.
3 Mezcle la salsa y el zumo de limón en un tarro de cristal con rosca, ciérrelo y agítelo bien. Disponga las verduras en una ensaladera. Rocíelas con la sálsa, decórelas con las almendras y sírvalas al instante.

Nota: Puede preparar esta ensalada de antemano guardando las verduras hervidas en la nevera. No obstante, antes de su consumo, déjelas reposar a temperatura ambiente y añada las almendras tostadas justo antes de servirla.

Ensalada de melones

Tiempo de preparación:
15 minutos
Tiempo de cocción:
ninguno
Para 6 personas

350 g de melón del país
350 g de melón cantalupo
350 g de sandía (opcional)
2 cebollas rojas pequeñas
1 cucharada de perejil picado
2 cucharadas de zumo de
  limón

1 Corte la pulpa de melón en trozos de 1 x 4 cm. Corte las cebollas en rodajas muy finas.
2 Mezcle en un cuenco pequeño la cebolla, el perejil y el zumo.
3 Coloque el melón y las cebollas en una fuente de cristal y rocíelo con la salsa de limón. Sirva la ensalada de melones al instante.

Ensalada de brécol y coliflor (superior)
y Ensalada de melones.

Ensalada de judías verdes con tomate

Tiempo de preparación:
  15 minutos
Tiempo de cocción:
  14 minutos
Para 4 personas

275 g de judías verdes
1 cucharada de aceite de
  oliva
2 cucharaditas de zumo de
  limón
1 cucharada de piñones
⅔ taza de zumo de tomate
1 diente de ajo machacado
unas gotas de tabasco

1 Limpie las judías y hiérvalas durante 1 minuto,
escúrralas, enfríelas en
agua helada y escúrralas
de nuevo. Alíñelas con
aceite y zumo de limón.
2 Precaliente el horno a
180°C. Reparta los
piñones en una bandeja
de horno cubierta con
papel de aluminio y
dórelos durante 5 minutos.
Vigílelos constantemente
porque se doran con
rapidez.
3 Hierva el zumo de
tomate, el ajo machacado y
el tabasco a fuego lento en
una sartén pesada sin tapar
durante unos 8 minutos o
hasta que la mezcla se haya
reducido a la mitad. Déjela
enfriar. Coloque las judías
en una bandeja y vierta la
salsa por encima. Decore la
ensalada con los piñones y
sírvala al instante.

Ensalada de col lombarda

Tiempo de preparación:
  15 minutos
Tiempo de cocción: ninguno
Para 6 personas

150 g de col lombarda
  cortada en juliana
100 g de col rizada cortada
  en juliana
2 cebolletas picadas finas
3 cucharadas de aceite de
  oliva
2 cucharaditas de vinagre de
  vino blanco
½ cucharadita de mostaza
  francesa
1 cucharadita de alcaravea

1 Mezcle las coles y la
cebolleta en una ensaladera.
2 Mezcle el aceite, el
vinagre, la mostaza y la
alcaravea en un tarro de
cristal con rosca, ciérrelo y
agítelo bien.
3 Rocíe la ensalada con la
salsa y remuévala con
cuidado. Sírvala al instante.

Ensalada de escarola con queso azul

Tiempo de preparación:
  20 minutos
Tiempo de cocción:
  3 minutos
Para 6 personas

3 rebanadas de pan de molde
3 cucharadas de aceite
20 g de mantequilla
1 escarola
125 g de queso azul (stilton
  u otro queso similar)
2 cucharadas de aceite de
  oliva
3 cucharaditas de vinagre de
  vino blanco
2 cucharadas de cebollino
  picado

1 Para hacer los costrones,
retire la corteza del pan,
úntelo con aceite y córtelo
en dados de 2 cm.
Tuéstelos en una sartén
con mantequilla y aceite
precalentados durante
unos 3 minutos. Escúrralos
sobre papel de cocina.
2 Lave y escurra bien la
escarola. Disponga las hojas
en una bandeja de servir y
desmenuce el queso por
encima.
3 Mezcle el aceite y el vinagre en un tarro de cristal
con rosca y agítelo con fuerza. Rocíe la ensalada con la
salsa, añada el cebollino y
los costrones y remueva con
tiento. Sírvala al instante.

Ensalada de judías verdes con tomate (superior), Ensalada
de col lombarda y Ensalada de escarola con queso azul.

Ensalada de espárragos con prosciutto di Parma

Tiempo de preparación:
20 minutos
Tiempo de cocción:
3 minutos
Para 4 personas

*2 manojos de espárragos (unos
6 espárragos por persona)
4 rodajas de prosciutto
3 cucharadas de aceite de
oliva
3 cucharaditas de vinagre de
estragón
2 cucharaditas de semilla de
amapola
30 g de parmesano*

1 Corte el extremo más grueso de los espárragos y hiérvalos durante 1 minuto, escúrralos, enfríelos en agua helada y escúrralos de nuevo. Colóquelos en 4 platos.
2 Tueste el prosciutto en el grill caliente durante 2 minutos o hasta que esté muy crujiente. Déjelo enfriar.
3 Mezcle el aceite, el vinagre y las semillas de amapola en un tarro de cristal con rosca y agítelo bien. Riegue los espárragos con la salsa y desmenuce el prosciutto por encima. Corte el parmesano muy fino y reparta las lonchas por encima de la ensalada. Sírvala al instante.

Nota: El prosciutto es un jamón ahumado italiano, conocido también como jamón de Parma. Suele venderse cortado en lonchas muy finas en tiendas de productos de alta gastronomía.

Ensalada de mazorquitas de maíz y pimiento

Tiempo de preparación:
15 minutos
Tiempo de cocción: ninguno
Para 6 personas

*850 g de mazorquitas de
maíz escurridas
⅓ taza de pimiento cortado
en juliana
⅓ taza de olivas rellenas de
pimiento
1 cucharada de aceite de
oliva
1 cucharadita de vinagre de
vino blanco
pimienta negra recién
molida*

1 Corte las mazorquitas de maíz diagonalmente por la mitad y póngalas en una ensaladera con el pimiento y las olivas.
2 Mezcle el aceite y el vinagre en un tarro de cristal con rosca, ciérrelo y agítelo bien. Rocíe con el aliño la ensalada y sazónela con la pimienta negra. Sírvala al instante.

*Ensalada de espárragos con prosciutto di Parma (superior)
y Ensalada de mazorquitas de maíz y pimiento.*

Ensalada de hojas rojas

Tiempo de preparación:
  15 minutos
Tiempo de cocción: ninguno
Para 6 personas

*150 g de hojas de lechugas
  rojas
100 g de bulbo de hinojo
1 cebolla roja pequeña
2 cucharadas de aceite de
  oliva
1 cucharada de aceto
  balsámico*

1 Lave y escurra bien las hojas de lechuga y trocéelas.
2 Corte el hinojo y la cebolla en rodajas. Mezcle en una ensaladera la lechuga, el hinojo y la cebolla. Aliñe la ensalada con aceite y vinagre. Remuévala con cuidado y sírvala al momento.

Ensalada de zanahorias y pasas

Tiempo de preparación:
  15 minutos
Tiempo de cocción: ninguno
Para 4 personas

*2 zanahorias medianas
  ralladas muy finas
150 g de calabaza rallada
  muy fina
½ taza de sultanas o uvas
  pasas*

*3 cucharadas de aceite
1 cucharada de zumo de
  limón
1 cucharadita de miel*

1 Mezcle bien con las manos las zanahorias y la calabaza ralladas en un cuenco amplio. Añada las pasas y remueva de nuevo.
2 Mezcle el aceite, el zumo y la miel en un tarro de cristal con rosca y agítelo bien. Riegue la ensalada con la salsa y sírvala al instante.

Ensalada de espinacas y aguacates

Tiempo de preparación:
  15 minutos
Tiempo de cocción: ninguno
Para 6 personas

*12 hojas grandes de espinacas
1 aguacate mediano cortado
  en rodajas a lo largo
75 g de nueces picadas
2 cucharadas de aceite de
  nueces
3 cucharaditas de vinagre de
  vino blanco*

1 Lave y escurra bien las espinacas. Dispóngalas en una bandeja con el aguacate y las nueces.
2 Mezcle el aceite y el vinagre en un tarro de cristal con rosca y agítelo bien. Rocíe la salsa sobre la ensalada, remuévala un poco y sírvala al instante.

*Ensalada de hojas rojas (superior), Ensalada de zanahorias y pasas y
Ensalada de espinacas y aguacates.*

Ensalada de aguacates y gambas con salsa de cítricos

Tiempo de preparación:
  15 minutos
Tiempo de cocción: ninguno
Para 4 personas

2 aguacates grandes
160 g de gambas cocidas
  peladas
100 g de berros de fuente

Salsa de cítricos
3 cucharadas de aceite de oliva
1 cucharada de zumo de
  limón
1 cucharada de zumo de
  naranja
½ cucharadita de miel
1 cucharadita de perejil
  picado

1 Corte los aguacates por la mitad y extraiga el hueso. Aderece las gambas en el agujero dejado por éste. Si es demasiado pequeño saque un poco de pulpa. Disponga los berros y los aguacates en 4 platos.
2 Mezcle el aceite de oliva, los zumos, la miel y el perejil en un tarro de cristal con rosca y agítelo con fuerza. Riegue las gambas con la salsa y sirva al momento.

Nota: Este plato se sirve a menudo como un entrante. Pueden mezclarse las gambas con mayonesa o crema agria aliñada con zumo de lima y pimienta negra.

Ensalada tropical de brotes

Tiempo de preparación:
  15 minutos
Tiempo de cocción: ninguno
Para 6 personas

1 papaya pequeña
2 cucharadas de zumo de
  lima
2 kiwis pequeños
50 g de ramitas de guisantes
½ taza de brotes de alfalfa

1 Pele la papaya y córtela en rodajas de 1 cm. Colóquela sobre una bandeja y rocíela con zumo de limón.
2 Corte los kiwis en rodajas. Disponga la mitad de la papaya, de las ramitas de guisantes, de los kiwis y de los brotes de alfalfa en una ensaladera. Proceda de igual forma con la otra mitad de los ingredientes y sirva la ensalada al instante.

Consejo
Utilice las hierbas aromáticas del jardín en ensaladas. Para que éstas parezcan un plato festivo, pique una mezcla de finas hierbas y aliñe con ella las ensaladas más sencillas o decórelas con un ramo de hierbas frescas o flores de cebollino.

Ensalada de guisantes tiernos y sésamo

Tiempo de preparación:
  15 minutos
Tiempo de cocción:
  1 minuto
Para 4 personas

200 g de guisantes tiernos
230 g de brotes de bambú en
  conserva escurridos
2 cucharadas de aceite
  vegetal ligero
2 cucharaditas de aceite de
  sésamo
2 cucharaditas de salsa de soja
1 cucharada de semillas de
  sésamo tostadas

1 Limpie los guisantes, hiérvalos 1 minuto, escúrralos, enfríelos en agua helada y escúrralos de nuevo.
2 Mezcle las verduras en una ensaladera y los aceites y la salsa en un tarro con rosca y agítelo bien. Riegue la ensalada con este aliño. Remuévala con cuidado y decórela con las semillas de sésamo. Sirva al momento.

Nota: El aceite de sésamo puede comprarse en tiendas de especialidades orientales.

Ensalada de guisantes tiernos y sésamo (superior), Ensalada tropical de brotes
y Ensalada de aguacates y gambas con salsa de cítricos.

Índice